Y Rali
Fawr

Y Rali Fawr

Anwen Francis

Lluniau Helen Flook

Gomer

I'm cariad, Dilwyn, am fy llywio i'r cyfeiriad
cywir wrth i mi yrru'r nofel yn ei blaen.

Diolch anferthol hefyd i Mam am ei chyngor
gwerthfawr iawn unwaith eto, ac i Eurig Bryngwyn
o Gapel Iwan am ei gymorth amhrisiadwy.

Cyhoeddwyd gyntaf yn 2012 gan
Wasg Gomer, Llandysul, Ceredigion, SA44 4JL.
www.gomer.co.uk

ISBN 978 1 84851 454 6

Cyhoeddwyd gyda chefnogaeth Llywodraeth Cymru.

Argraffwyd a rhwymwyd yng Nghymru gan
Wasg Gomer, Llandysul, Ceredigion.

1

Un nos Sadwrn rewllyd ym mis Tachwedd, clywai Henri sŵn y car cyntaf yn agosáu. Doedd e ddim yn gallu ei weld eto, ond roedd pelydrau o olau llachar yn dod yn nes ac yn nes dros gopa'r clawdd.

Yn sydyn, daeth y car i'r golwg – car rhif un oedd hwn. Ebychodd ambell berson yn y dorf wrth wylio'r Subaru Impreza coch, trawiadol yn sgrialu o amgylch y gornel siarp. Trodd y car ar ei ochr, bron, wrth fynd heibio i'r dibyn serth ac yna glanio gyda chrash mawr. Tasgodd y mwd i bob man, dros jîns Henri ac oferôl ei dad.

Syllodd Henri ar y car mewn rhyfeddod. Byddai bob amser yn gwylio rhaglenni ralïo ar y teledu, ond roedd gweld y gystadleuaeth yn fyw o flaen ei lygaid yn brofiad hollol newydd iddo. Er bod diddordeb mawr ganddo mewn ralïo, doedd e erioed wedi bod mewn cystadleuaeth rali o'r blaen. Roedd ei dad yn ralïwr brwd, ond roedd ei fam wedi gwrthod gadael i Henri fynd gydag e'n gwmni hyd nes y byddai'n ddigon hen i ddeall peryglon y gystadleuaeth. Doedd Henri ddim yn meddwl bod hyn yn deg o gwbl, yn enwedig o ystyried bod y rhan fwyaf o'i ffrindiau ysgol wedi bod yn gwylio ralïau ers blynyddoedd!

Ond ar ôl llawer o berswâd, roedd Henri wedi llwyddo i argyhoeddi'i fam ei fod bellach yn ddigon hen i fynd gyda'i dad. Felly, dyma fe o'r diwedd yn sefyll wrth ochr y ffordd yng nghanol cefn gwlad yn gwylio car rali'n gwibio heibio fel mellten . . . ac roedd e wrth ei fodd!

Bloeddiodd y gynulleidfa negeseuon o gefnogaeth wrth i'r car wibio heibio a rhuo yn ei flaen i fyny'r ffordd. Dychmygai Henri mai ef oedd yn gyrru'r car, yn gwibio ar hyd yr heolydd ac yna'n ennill y rali. Efallai mai ef fyddai pencampwr y byd ralïo ryw ddiwrnod, breuddwydiodd yn hapus.

Gwyliodd y car yn diflannu i ddüwch y nos unwaith eto, a'r mwg yn saethu'n gwmwl trwchus allan o'r beipen wacáu.

'Mae hyn yn grêt!' dywedodd Henri wrth ei dad.

'Ydy wir!' atebodd hwnnw gan wenu. 'Welest ti pa mor glou ddaeth y car 'na rownd y gornel?'

'Do! Ro'n i'n meddwl ei fod yn mynd i'n bwrw ni ar un adeg!'

Cyn pen dim, roedd yr ail gar yn rhuthro tuag atynt ar ras. Mk2 Escort glas oedd hwn, gyda bonet coch ac olwynion aur. Roedd y car yn frwnt iawn, ac roedd hyd yn oed rhan o glawdd yn sownd i'w fympar! Teithiodd y car tuag atynt yn gyflym . . . yn rhy gyflym! Doedd dim gobaith ganddo fynd o amgylch y gornel yn ddiogel, meddyliodd Henri.

Sgrialodd y teiars trwchus yn swnllyd gan adael traciau du ar draws y tarmac. Cododd y gyrrwr y brêc llaw a llwyddo i lywio'r car o amgylch y gornel mewn un darn. Curodd y dorf eu dwylo'n frwdfrydig gan gymeradwyo perfformiad penigamp. Gallai Henri weld yr olwg benderfynol oedd ar wyneb y gyrrwr, ei lygaid yn canolbwyntio'n llwyr ar y ffordd o'i flaen wrth iddo yrru i mewn i'r goedwig dywyll.

'Waw!' ebychodd Henri'n llawn cynnwrf. 'Dw i erioed wedi gweld car yn gwneud y fath beth. Alla i ddim aros i gael dweud wrth fy ffrindiau a Mam am hyn!'

Roedd gwên enfawr ar wyneb Henri a gwyddai ei dad na fyddai byth yn cael mynd i wylio rali arall heb fynd â'i fab gydag e!

''Sdim diddordeb 'da dy fam mewn ralïo, Henri bach,' dywedodd, gan rwbio'i ddwylo yn erbyn ei gilydd er mwyn ceisio'u cynhesu.

Roedd yn gas ganddo'r oerfel ac roedd gwylio rali'n fusnes oer iawn, yn enwedig ar noson rewllyd fel hon. Byddai bob amser yn gwisgo het wlanog, sgarff gynnes a chot gwilt gydag oferôl dal dŵr i'w gadw'n sych rhag y glaw. Fel y rhan fwyaf o'r dorf oedd yn gwylio, gwisgai fenig trwchus i gadw'i ddwylo'n gynnes a sawl pâr o sanau am ei draed!

'Pa oedran mae'n rhaid i ti fod cyn gallu cymryd rhan 'te, Dad?' gofynnodd Henri'n chwilfrydig.

'Pam? Wyt ti'n ffansïo rhoi cynnig arni?' gofynnodd ei dad gan chwerthin.

'Ydw, glei!' atebodd Henri'n frwd.

'Jiw, jiw, rwyt ti'n union fel fi pan o'n i dy oedran di, yn methu aros nes cael cymryd rhan mewn rali!' dywedodd ei dad yn falch. 'Rwyt ti'n debyg iawn i mi, Henri bach, ond paid â mentro dweud hynny wrth dy fam!'

Roedd Dad wedi bod yn bencampwr llywio cyn iddo gael damwain gas yn y gwaith ychydig flynyddoedd yn ôl. Cafodd anafiadau i'w bengliniau, ei gefn a'i wddf bryd hynny ac roedd e'n dal i fod mewn poen. Oherwydd hynny, doedd e ddim wedi cystadlu mewn rali byth ers y ddamwain.

'Nawr 'te, mae'n rhaid i ti fod yn ddwy ar bymtheg oed ac wedi pasio dy brawf gyrru er mwyn cael gyrru car ralïo, ond dim ond deuddeg oed er mwyn gallu llywio,' esboniodd ei dad.

Disgleiriodd llygaid Henri. Byddai'n ddeuddeg oed mewn llai na mis – pum diwrnod ar hugain a bod yn fanwl gywir! Roedd bywyd yn mynd i fod yn llawn cyffro o hyn ymlaen . . .

2

Ar ôl cyfri'r diwrnodau'n ddiamynedd tan ei ben-blwydd, cyrhaeddodd y diwrnod pwysig o'r diwedd . . .

Cafodd Henri ei ddeffro gan sŵn mawr pwerus yn dod o gyfeiriad y lôn fach wrth ochr y tŷ. Llamodd allan o'r gwely ac agor llenni ei ystafell wely'n wyllt. Doedd e ddim yn gallu credu ei lygaid! Yno, yn disgleirio fel hanner can ceiniog newydd sbon, roedd car Subaru glas, bendigedig. Rhuthrodd i lawr y grisiau a rhedeg i'r lolfa haul i gael gwell golwg ar y campwaith disglair.

Roedd ei fam a'i chwaer fawr, Cara, yno eisoes, yn bwyta'u brecwast wrth y bwrdd. Roedd dwy chwaer ganddo – Cara, oedd yn ddwy ar bymtheg oed ac yn ceisio bod yn fòs ar bawb, ac Ela, ei chwaer fach a fyddai'n wyth oed mewn ychydig wythnosau. Roedd Ela'n dal i fod yn y gwely, siŵr o fod, meddyliodd Henri.

Y tu ôl i'w fam a'i chwaer, gallai weld y car rali'n sefyll yn fawreddog yng nghanol y lôn, a'i

dad yn plygu wrth ochr ffenest y car yn siarad
â'r gyrrwr. Dyna beth yw car smart, meddyliodd
Henri.

'Pen-blwydd hapus, cariad!' meddai ei fam
wrtho, gan dorri ar draws ei feddyliau. 'Deuddeg
oed, wel, mae'n anodd credu'r peth. Mae'n
teimlo fel ddoe er pan gest ti dy eni. A nawr,
edrych arnat ti'n grwt mawr.'

Camodd ymlaen er mwyn rhoi cwtsh a chusan i'w mab. Gwridodd Henri. Teimlai ei fod yn rhy hen i gael cwtsh gyda'i fam bellach.

'Pwy sy biau'r car, Mam?' gofynnodd Henri'n chwilfrydig.

'Dai Penywaun,' atebodd hithau. 'Mae e wedi cynnig mynd â ti am sbìn fach gan dy fod yn cael dy ben-blwydd heddiw.'

'Wir?' ebychodd Henri, yn wên o glust i glust. Doedd e ddim yn gallu tynnu'i lygaid oddi ar y car. 'Waw!'

'Plîs paid â dweud dy fod ti'n dwlu ar ralïo, Henri!' ochneidiodd Cara. 'Mae cael un ralïwr yn y tŷ 'ma'n ddigon! Os bydd dau ohonoch chi yma, fe fydda i'n chwilio am le arall i fyw!'

Roedd Cara'n casáu unrhyw beth i'w wneud â cheir ar hyn o bryd gan ei bod hi newydd fethu ei phrawf gyrru am yr ail dro! Ac roedd hi'n sicr yn casáu ralïo gan fod ei chyn-gariad yn ralïwr brwd!

Rholiodd Henri ei lygaid mewn anobaith ar ei chwaer cyn gwenu'n wybodus. Byddai ei safbwynt hi'n siŵr o newid eto pe bai'n dod o hyd i gariad arall oedd yn dwlu ar ralïo! Roedd merched yn greaduriaid od, meddyliodd.

'Pryd ga i fynd gyda Dai?' gofynnodd Henri i'w fam yn llawn brwdfrydedd.

Roedd e ar bigau'r drain eisiau mynd am sbìn yn y car! Dyma oedd yr anrheg pen-blwydd delfrydol – allai e ddim dychmygu unrhyw beth gwell!

'Ar ôl i ti fwyta dy frecwast,' atebodd ei fam yn bendant.

Heb wastraffu rhagor o amser, llarpiodd Henri ddarn o dost cyn rhuthro i'w ystafell wely i newid o'i byjamas. Gwisgodd cyn gynted ag y gallai cyn tasgu i lawr y grisiau unwaith eto a rhedeg allan o'r tŷ.

Roedd ei rieni'n sgwrsio gyda Dai ac yn

edmygu'r cerbyd, ond dim ond sefyll yno'n bwdlyd wnâi Cara.

'Shwt wyt ti, bachan?' holodd Dai Penywaun yn groesawgar pan welodd e Henri'n rhuthro tuag at y car. 'Dywedodd aderyn bach wrtha i fod heddiw'n ddiwrnod arbennig. Wyt ti'n mwynhau dy ben-blwydd hyd yn hyn, Henri?

'Ydw, diolch,' atebodd Henri'n swil.

'Wyt ti'n barod am antur fach, 'te?' gofynnodd Dai gan wincio arno.

'Ydw i!' atebodd Henri'n awchus.

Agorodd ddrws y teithiwr a neidio i sedd flaen y car yn llawn cyffro. Dangosodd Dai iddo sut i

gau'r gwregys, gan ei fod yn hollol wahanol i wregys car cyffredin. Teimlai Henri'n bwysig iawn yn eistedd yno gyda gwregys melyn dros bob ysgwydd a strap felen am ei ganol a rhwng ei goesau. Roedd y seddau'n isel iawn, a phrin y gallai weld trwy ffenest flaen y car wrth iddo geisio gwneud ei hun yn gyfforddus.

Roedd y car yn gwbl wahanol i gar cyffredin. Roedd ffrâm ddiogelwch wedi'i weldio o amgylch y to, diffoddwr tân wedi'i folltio i fraced y tu ôl i sedd y gyrrwr, a bocs cymorth cyntaf yn sownd wrth fraced arall y tu ôl i'w sedd e. Wrth ymyl y ffenest flaen roedd cloc arbennig oedd yn nodi'r awr, y funud a'r eiliad. Roedd gan y car frêc llaw rhyfedd hefyd, wedi'i leoli mewn man lletchwith iawn yn agos at y radio. Yn wir, doedd dim byd cyfforddus na moethus ynghylch y car hwn. Roedd Henri'n siŵr y byddai ei ben-ôl yn teimlo'n boenus iawn y noson honno, a thrannoeth hefyd! Ond pa ots, meddyliodd.

Esboniodd Dai fod yna switshys y tu allan ar fonet y car a thu mewn yn ymyl y gêrbocs. Byddai'r rhain yn stopio'r injan petai damwain yn digwydd, ac felly'n arbed y car rhag mynd ar dân. Roedd yn rhaid i bob car ralïo gael switshys tebyg.

Dechreuodd Henri deimlo braidd yn dost pan glywodd am y switshys hyn, fel petai pilipalod bach di-ri yn hedfan o gwmpas ei stumog.

'Barod 'te, Henri?' gofynnodd Dai.

'Barod,' atebodd, gan obeithio nad oedd yn swnio mor nerfus ag y teimlai.

Ond roedd Dai wedi synhwyro'i nerfusrwydd.

''Sdim rhaid i ti boeni o gwbl,' meddai. 'Mae'r car yma wedi'i adeiladu'n bwrpasol er mwyn ein cadw ni'n ddiogel os byddwn ni'n troi drosodd neu os byddwn ni'n taro yn erbyn coeden neu graig.'

Doedd y syniad o daro yn erbyn coeden neu graig ddim yn helpu Henri i ymlacio o bell ffordd, ond cododd law ar ei deulu a cheisio bod yn ddewr. Roedd un peth yn sicr, roedd hwn yn mynd i fod yn ben-blwydd i'w gofio!

3

Taniodd Dai yr injan, a suodd y Subaru'n hudolus fel cath yn canu grwndi. O dipyn i beth, dechreuodd Henri ymlacio. Un diwrnod, fe fyddai e'n ennill rali mewn car fel hwn, meddyliodd. Dychmygodd gar coch llachar gydag adain ddeinamig ar ei gefn, olwynion aloi euraidd, a goleuadau crwn fel dau lygad enfawr – jest y peth ar gyfer goleuo heolydd cefn gwlad gorllewin Cymru. Roedd hyn yn grêt!

Gyrrodd Dai Penywaun yn ofalus iawn allan o'r stad dai lle roedd cartref Henri, gan osgoi ambell feic plentyn oedd yn gorwedd blith draphlith ar yr heol. Teithiodd y ddau drwy bentref Aber-llwch cyn anelu'n hamddenol tuag at y mynyddoedd. Roedd hi'n ddiwrnod hynod o braf ac anarferol o gynnes o feddwl ei bod yn fis Tachwedd. Gorweddai preiddiau o ddefaid yng ngwres yr haul ar y mynydd, ac roedd criw o gerddwyr brwd i'w gweld ar lwybr y mynydd.

'Ble y'n ni'n mynd 'te?' holodd Henri.

'Ry'n ni'n mynd ar heol nad yw ceir cyffredin yn ei defnyddio'n aml iawn,' meddai Dai Penywaun. 'Gallwn ni gael llonydd i ymarfer a chael tipyn o sbort wedyn.'

Rhoddodd winc ddireidus ar Henri, a gwenodd yntau, ond daliai i deimlo'r pilipalod yn dawnsio'n ysgafn yn ei stumog.

Gyda hynny, trodd Dai Penywaun y car i'r dde gan ddilyn heol fach debyg iawn i hen heol fferm. Roedd hi'n garegog, yn dyllog ac yn gul, a doedd dim tarmac yn agos iddi. Nawr ac yn y man, crafai gwaelod y car yn erbyn y ddaear ar ganol y ffordd gan wneud sŵn erchyll.

'Yn y byd ralïo,' esboniodd Dai, 'maen nhw'n galw heol fel hon yn un wen, sef ffordd anniben iawn.'

Gwgodd yn sydyn wrth i deiar y car daro'n galed yn erbyn carreg.

'Dw i ddim yn rhy hoff o'r heolydd hyn pan fydda i'n gyrru 'nghar fy hun, ond mae'n eitha sbort pan fydda i'n gyrru car rhywun arall!' meddai'n ddireidus.

Chwarddodd Dai'n braf cyn gwasgu'i droed ar y sbardun. Saethodd y car yn ei flaen fel roced, gan fagu nerth wrth gyflymu. Pedwar deg, pum deg . . . chwe deg milltir yr awr!

Crynai Henri yn y sedd anesmwyth wrth iddyn nhw yrru dros yr arwyneb garw. Dirgrynai ei ddannedd hefyd a thasgai ei fochau i fyny ac i lawr yn afreolus wrth i Dai Penywaun lywio'r car ar y ffordd gul, droellog. Aeth y car o amgylch cornel siarp ar ddwy olwyn gan dasgu dros y tir twmpathog, garw.

'Whwww!' bloeddiodd Dai nerth esgyrn ei ben, yn mwynhau pob eiliad.

Er na fyddai'n fodlon cyfaddef y fath beth, roedd llond twll o ofn ar Henri! Curai ei galon mor galed nes boddi sgrialu swnllyd y car! Caeodd ei lygaid yn dynn am eiliad, ond roedd hynny'n gwneud iddo deimlo braidd yn dost. Mentrodd agor ei lygaid yn araf bach. Roedd e'n dechrau poeni na fyddai'n gadael y car yn fyw!

Newidiodd Dai o un gêr i'r llall mor gyflym â fflach o olau – i lawr o bedwar i ddau, ac yna cyflymu eto i fyny'r ffordd droellog, a'r mwd yn gwasgaru i bob cyfeiriad. Tasgai'r cerrig rhydd oddi ar y teiars i fyny i'r awyr y tu ôl iddyn nhw. Roedd sychwyr y ffenest flaen yn pendilio'n ôl ac ymlaen ar ras wrth geisio cadw'r ffenest yn glir.

Gallai Henri weld bod y ffordd droellog yn dod i ben gan fod cyffordd ymhen hanner canllath. Roedd yn rhaid i Dai Penywaun gallio nawr. Breciodd yn sydyn, gan achosi i Henri dasgu ymlaen yn ei sedd cyn i'r gwregys ei rwystro rhag mynd ymhellach. Ymunodd Dai â'r ffordd fawr fel gyrrwr call, synhwyrol unwaith eto.

'Wyt ti'n iawn, Henri?' gofynnodd gan chwerthin.

Nodiodd Henri ei ben mewn syndod. Doedd e prin yn gallu siarad. Doedd e erioed wedi cael y fath brofiad o'r blaen. Roedd fel bod ar reid gyflym mewn ffair, heb reolaeth o gwbl dros y cyflymder a'r symudiadau chwim!

'Dw i erioed wedi teithio mor glou â 'na mewn car o'r blaen,' mwmiodd. 'Roedden ni'n mynd mor glou erbyn y diwedd, do'n i ddim yn meddwl y bydden ni byth yn stopio!'

Gwenodd Dai yn garedig arno. Gwyddai'n iawn sut roedd Henri'n teimlo.

'Mae'r tro cyntaf yn gallu bod yn brofiad annifyr,' esboniodd Dai, 'ond fe ddoi di'n gyfarwydd â'r holl beth. 'Sdim byd yn well na thipyn o adrenalin yn pwmpio o amgylch dy gorff. Mewn rali go iawn mae'n rhaid dilyn rheolau llym, ac mae iechyd a diogelwch hefyd yn chwarae rhan bwysig iawn yn y digwyddiad. Mae gyrwyr a llywyr yn cymryd pob rali o ddifri, cofia.'

'Ers pryd wyt ti'n ralïo 'te, Dai?' holodd Henri yn llawn chwilfrydedd.

'Jiw, dw i wedi bod wrthi ers dros ugain mlynedd. Dw i'n hen law arni erbyn hyn,' meddai Dai Penywaun gan yrru'n hamddenol tuag adref, a'i gar wedi'i orchuddio â mwd o'r bonet i'r bŵt. 'Mae cystadlu'n gallu bod yn fusnes eitha costus, ac mae'r ceir ralïo 'ma'n costio ffortiwn i'w paratoi a'u rhedeg – felly gwell i ti ddechrau safio dy arian poced, Henri!'

Teithiodd y ddau'n dawel am ychydig, gan fwynhau'r golygfeydd o'u cwmpas.

'Mae 'na ddigwyddiad ar fferm ym Mhencnau-cnwc fory lle mae ceir ralïo'n cael eu hamseru wrth yrru o amgylch un o'r cymalau cyn rali fawr yr wythnos nesaf,' dywedodd Dai gan edrych yn ofalus ar Henri. 'Mae fy nghyd-yrrwr i'n dost, a dw i'n chwilio am rywun arall i gymryd ei le. Wyt ti'n ffansïo eistedd yn sedd y teithiwr a rhoi cynnig ar lywio?'

'Fi?' gofynnodd Henri mewn syndod.

'Byddai'n brofiad da i ti.'

Doedd dim syniad gan Henri sut i lywio, ond doedd e ddim am wrthod y fath gyfle!

'Wel . . . wrth gwrs! Byddai hynny'n grêt. Diolch yn fawr!' atebodd Henri, ei lais yn cyfleu'r cyffro a dreiddiai drwy ei wythiennau.

Fi'n llywio, meddyliodd Henri. Roedd y peth yn anhygoel! Yn afreal! Yn hollol ffantastig!

Yr eiliad honno, trodd Dai Penywaun i mewn i'r stad lle roedd Henri'n byw, ac ymhen dim roedd y car wedi dod i stop o flaen ei gartref. Wrth i Dai ei helpu i dynnu ei wregys yn rhydd, diolchodd Henri iddo am fore bythgofiadwy. Am ben-blwydd gwych oedd hwn! Rhedodd Henri i mewn i'r tŷ gan chwifio'i law'n frwdfrydig ar Dai.

Doedd e ddim yn gallu aros nes adrodd yr hanes wrth ei rieni! Ond cyn hynny, roedd un peth pwysig iawn ganddo i'w wneud, sef cael bath twym, braf er mwyn esmwytho'i ben-ôl poenus!

4

Ar ôl cael bath a phrynhawn cyfan yn ymlacio, eisteddodd Henri wrth y bwrdd i gael swper gyda'i deulu ac adrodd pob un manylyn bach am y daith yn y car rali. Roedd hi'n amlwg i bawb ei fod wedi cael bore wrth ei fodd!

Roedd y pump ohonyn nhw'n byw mewn tŷ digon cyffredin ar gyrion pentref Aber-llwch. Doedden nhw ddim yn byw bywyd moethus o bell ffordd gan fod arian wedi bod yn brin byth ers i dad Henri gael y ddamwain, ond roedd y teulu'n hapus iawn eu byd.

Yn aml iawn wrth y bwrdd bwyd, byddai tad Henri'n hel atgofion am yr adeg pan oedd e'n ifanc ac yn mwynhau ralïo. Heno, roedd yn adrodd yr hanes am ei ddyddiau yntau'n llywio gyda'i bartner, Carwyn.

'Ti'n gweld, Henri, mae'n rhaid i ti fod yn ddewr ac yn hyderus, ond yn ofalus ac yn grefftus ar yr un pryd. Dw i'n cofio fy negfed rali'n llywio . . .'

Dylyfodd Cara'i gên yn swnllyd wrth i'w thad ddechrau brolio. Doedd ganddi ddim diddordeb o gwbl yn yr hanes.

'Ar y ddegfed rali,' dywedodd Dad, gan wgu ar ei ferch am fod mor ddigywilydd, 'roedd Carwyn a finnau'n mynd amdani. Roedden ni wir am ei hennill hi, a doedd dim byd yn mynd i'n rhwystro ni. Ond wrth i ni fynd o amgylch un o'r corneli bach siarp yn rhy gyflym . . .'

'Be ddigwyddodd nesa, Dad?' holodd Henri'n awyddus.

'Trawodd y car yn erbyn coeden! Ac fel tasai hynny ddim yn ddigon, dringodd y car i fyny'r bonyn ac aeth y ddwy olwyn flaen yn sownd hanner ffordd i fyny'r goeden! Dyna beth oedd llanast! Roedd y dorf yn heidio draw i dynnu lluniau o'r Sierra coch a'r hen dderwen fawr.'

'A finnau'n cael cathod bach yn meddwl bod dy dad wedi cael ei anafu!' ychwanegodd ei fam, gan arllwys grefi dros ei bwyd.

'Gest ti a Carwyn eich anafu?' gofynnodd Cara'n bryderus. 'Aethoch chi i'r ysbyty?'

'Naddo, naddo,' atebodd ei thad. 'Roedden ni'n iawn, heblaw ein bod ni wedi cael tipyn o ofn. Roedd bonet y car yn yfflon, cofia, ac fe dreuliodd Carwyn ddyddiau lawer yn trwsio'r car erbyn y rali nesaf. Ro'dd hynny'n wers bwysig – bod yn rhaid i ni fod yn wyliadwrus ac yn synhwyrol. Does dim pwynt bod yn esgeulus mewn rali.'

Bwytaodd tad Henri beth o'i fwyd, cyn dechrau eto . . .

'A dw i'n cofio tro arall pan –'

'Ocê, ocê,' torrodd Cara ar ei draws unwaith eto. 'Dw i wedi cael llond bol ar glywed am y ralïau twp 'ma. Dw i'n mynd i'r llofft.' Cododd o'r bwrdd a llusgo'i thraed am y grisiau. 'Mae bywyd mor *boring* yn y tŷ 'ma! Mae bywyd mor *boring* yn y dre 'ma. 'Sdim byd i'w wneud 'ma ond ralïo!'

Rholiodd pawb eu llygaid wrth glywed Cara'n stompio'i thraed i fyny'r grisiau pren i'w llofft. Roedd hi mewn hwyliau drwg ers iddi fethu ei phrawf gyrru. Caeodd ddrws ei hystafell wely'n glep a dechrau chwarae cerddoriaeth yn uchel.

Y noson honno, eisteddai Henri a'i fam o flaen y tân coed yn yr ystafell fyw yn gwrando ar Dad yn adrodd hanesion am fyd y rali. Soniodd am ei gar rali cyntaf ac am yr adeg pan enillodd rali fawr am bedair blynedd yn olynol. Roedd e'n hynod falch gan fod hynny'n gamp aruthrol!

Ar ôl ychydig, teimlai Henri ei ben yn trymhau a'i lygaid yn mynnu cau. Er ei fod wrth ei fodd yn gwrando ar hynt a helynt ei dad, roedd cyffro'r diwrnod bellach yn drech nag e. Roedd diwrnod mawr o'i flaen fory eto, felly penderfynodd fynd i'w wely'n gynnar. A chyn pen dim roedd yn breuddwydio'n braf am ralïo ar draws cefn gwlad Cymru!

5

Er i Henri fynd i'r gwely'n gynnar y noson cynt, doedd e ddim wedi cysgu fawr ddim wedi hanner nos. Doedd dim syniad ganddo sut i lywio car rali, a chwyrlïai pob math o bethau drwy ei feddwl. Roedd e'n nerfus iawn wrth feddwl am y cymal amseru – mor nerfus nes teimlo'n sâl. Roedd ei gledrau'n chwysu a'i stumog yn troi rownd a rownd yn ddi-stop wrth iddo boeni am y diwrnod canlynol.

Ond doedd dim angen iddo bryderu o gwbl. Trannoeth, roedd Dai Penywaun yn barod i esbonio'r cyfan wrtho . . .

'Mae'n syml iawn, Henri,' dywedodd yn garedig. 'Bydd rhywun yn fy amseru wrth i mi yrru yn erbyn y cloc. Mae'n debyg iawn i gwrs cadw'n heini, ond yn hytrach na *rhedeg* o amgylch y cwrs bydda i'n gyrru car! Cwrs byr yw e, a dim ond ambell dro sydd arno, felly fydd dim angen i ti lywio rhyw lawer. Byddi di wrth dy fodd, ac fe fydd e'n gyfle penigamp i dy baratoi di ar gyfer rali go iawn.'

Ymlaciodd Henri ychydig ar ôl clywed hyn. Treuliodd y bore cyfan yn gwylio'r ralïwyr yn gyrru o amgylch y cwrs. Roedd ambell un yn gyrru'n grefftus, ac ambell un arall yn gwneud cawl go iawn o bethau!

Yna, daeth tro Henri a Dai. Gwnaeth Henri ei hun mor gyfforddus ag y medrai cyn gwisgo'i wregys diogelwch amdano a dal yn sownd! Dechreuodd anadlu'n ddwfn er mwyn ceisio rheoli'i nerfau. Prin y gallai weld y ffordd o flaen y car gan fod ei sedd mor isel, yn enwedig gan ei fod yntau'n eitha byr beth bynnag. Petai Dai yn gadael iddo lywio eto, byddai'n rhaid iddo ddod â chlustog i'w roi o dan ei ben-ôl y tro nesaf, meddyliodd Henri!

'Barod . . ?' Torrodd llais Dai ar draws ei feddyliau.

Roedd Henri'n gwybod bod Dai'n yrrwr hynod o brofiadol ac y byddai'n siŵr o gwblhau'r cwrs yn ddiogel, ond roedd e'n dal i boeni'n arw. Doedd e ddim am i bobl feddwl ei fod yn hen fabi, felly ceisiodd ymddangos yn ddewr ac yn ddi-ofn.

Dechreuodd y ddynes â'r amserydd gyfrif i
lawr o bump . . . pedwar . . . Teimlodd Henri ei
stumog yn chwyrlïo, rownd a rownd. Tri . . .
Roedd ei nerfau'n gwaethygu gyda phob eiliad.
Dau . . . Doedd e ddim yn siŵr a oedd e'n barod
am hyn. Un . . . Gwasgodd Dai Penywaun ei
droed ar y sbardun. Bant â nhw!

Wrth i'r car agosáu at y gornel gyntaf, un 90°,
gwasgodd Dai y brêc yn galed gan wneud i'r
teiars sgrialu a mygu. Rhoddodd ei droed ar y
sbardun unwaith eto gan yrru'r car i lawr y
ffordd serth ac anelu am y pyllau mwdlyd.
Ceisiodd osgoi ceudwll enfawr ar y dde, a methu
o drwch blewyn.

Tarodd olwyn y Subaru yn galed yn erbyn ochr
y twll. Daeth sŵn clonc enfawr o gyfeiriad
gwaelod y car, a chododd pen-ôl Henri oddi ar y

sedd cyn glanio'n glep yn ôl yn ei le. Diolch byth am y gwregys diogelwch, meddyliodd.

'Druan â'r car,' meddai Dai gan chwerthin.

'Y car?' gofynnodd Henri. 'Beth am fy mhen-ôl i?'

Y conau oedd nesaf. Roedd yn rhaid i Dai yrru'r car i mewn ac allan o bum côn mor gyflym ag y gallai heb eu cyffwrdd. Roedd hon yn dasg anodd gan fod Dai'n teithio ar gyflymdra o tua deg milltir ar hugain yr awr, a doedd fawr o bellter rhwng y conau!

Trodd Dai olwyn y car i'r chwith, i'r dde, i'r chwith ac yna i'r dde eto er mwyn osgoi taro'r rhwystrau. Siglai cefn y car i bob cyfeiriad, ond edrychai Dai fel petai ganddo reolaeth dros y cerbyd. Tin-daflodd Dai y car yn chwim o amgylch y côn olaf, gan wneud i'r dasg edrych yn hawdd.

Teimlai Henri fel petai e ar reid tu hwnt o gyflym mewn ffair. Roedd y car yn newid cyfeiriad mor sydyn, doedd e ddim yn siŵr a oedd e'n mynd neu'n dod! Wedi taclo'r conau, sgrialodd y car i fyny llethr serth i gyfeiriad y chwarel. Rasiodd yn wyllt o amgylch y llyn, ac yna'n ôl allan drwy'r un bwlch ac i fyny'r ffordd. Yna, heb golli eiliad, sgrialodd i fyny'r llwybr cul a slic ac o amgylch bêl silwair cyn dod i stop sydyn.

'Dwy funud a phum eiliad,' bloeddiodd y stiward.

Rhuthrodd yr adrenalin drwy gorff Henri gan wneud i'w galon guro'n wyllt! Daeth gwên i'w wyneb wrth iddo sylweddoli bod yr amser da hwnnw'n eu rhoi nhw yn y safle cyntaf. Byddai'n anodd iawn i unrhyw un eu curo, meddyliodd.

Ond buan iawn y sylweddolodd Henri nad oedd llawer o obaith ganddyn nhw ennill, mewn gwirionedd. Esboniodd Dai fod dau ddyn o'r enw Ianto ac Iwan yn cymryd rhan. Brodyr o ogledd y sir oedden nhw ac roedden nhw'n ddienaid bost! Ond roedd y ddau frawd yn gwneud tîm da ar bedair olwyn, dwl neu beidio, ac roedden nhw wedi ennill gwobrau cenedlaethol di-ri. Doedd dim posib eu curo, meddyliodd Henri'n ddigalon.

'Gallwn ni ddweud hwyl fawr wrth y safle cyntaf 'te, Henri,' dywedodd Dai'n siomedig.

O fewn dim, ymgasglodd tyrfa fawr i wylio'r ddau frawd yn cystadlu. Fel fflach o olau, roedd y ddau wedi llwyddo i fynd o amgylch y conau ar gyflymdra o bedwar deg milltir yr awr! Roedden nhw'n chwim ond yn ofalus ar yr un pryd.

Aethant i fyny at y chwarel yn grefftus, a'r cerrig mân yn tasgu oddi ar y teiars. Doedd dim byd yn mynd i rwystro'r ddau rhag mynd â hi heddiw!

'Munud a phum deg naw eiliad,' gwaeddodd y stiward wrth i'r car ddod i stop. 'Mae hynny'n rhoi Ianto ac Iwan yn y safle cyntaf!'

Er nad oedden nhw wedi ennill, mwynhaodd Henri'r diwrnod mas draw wrth wylio'r cystadleuwyr eraill yn gyrru o amgylch y cwrs. Roedd e'n edmygu sgiliau gyrru anhygoel Dai Penywaun yn fawr ac yn benderfynol o yrru'n debyg iddo ryw ddiwrnod. Ni allai feddwl am neb gwell i'w ddysgu – roedd Dai'n athro gwerth chweil!

6

Drannoeth yn yr ysgol, roedd Henri'n edrych ymlaen yn arw at gael dweud hanes ei benwythnos wrth ei ffrindiau. Roedden nhw'n gefnogwyr brwd o bob rali yn yr ardal ac roedd Henri'n gwybod yn iawn y bydden nhw'n genfigennus o'r profiad roedd e newydd ei gael.

Gwenodd o glust i glust wrth fynd i mewn i'w ystafell ddosbarth, ond roedd ei athrawes yno o'i flaen, felly chafodd e ddim cyfle i sgwrsio gyda'i ffrindiau. Byddai'n rhaid i hynny aros tan amser egwyl.

'Bore da, blant,' meddai Mrs John, gan gymryd sedd wrth ei desg.

Cymraeg oedd y wers gyntaf. Siaradodd ei athrawes am hydoedd am idiomau, arddodiaid a phob math o bethau eraill, ond doedd Henri ddim yn gwrando. Roedd e yn ei fyd bach ei hunan, yn hel meddyliau am gyffro diwrnod y prawf.

'Dw i am i chi wneud gwaith ymchwil yr wythnos hon a chyflwyno prosiect am eich hoff

beth,' dywedodd Mrs John. 'Cofiwch ddefnyddio amrywiaeth o arddodiaid ac idiomau wrth gofnodi'r gwaith.' Edrychodd o amgylch y dosbarth a sylwi ar Henri'n chwarae gyda'i feiro. Roedd yn amlwg nad oedd yn gwrando arni. 'Am beth wyt ti'n bwriadu ysgrifennu, Henri?' gofynnodd.

Cododd Henri ei ben yn sydyn. Syllodd pawb arno gan aros iddo ateb, ond doedd dim syniad ganddo beth roedd Mrs John newydd ei ofyn iddo. Dechreuodd wrido nes bod hyd yn oed ei glustiau'n goch.

'Beth yw dy hoff beth di, Henri?' gofynnodd Mrs John eilwaith, ychydig yn fwy diamynedd y tro hwn. Doedd hi ddim yn hapus pan nad oedd ei disgyblion yn gwrando arni.

Rhoddodd Henri ochenaid o ryddhad. Doedd dim amheuaeth ganddo beth oedd yr ateb i'r cwestiwn hwnnw.

'Ralïo, Mrs John.'

'Dyna ni 'te, fe gei di wneud prosiect ar ralïo. Mae'n edrych fel petai dy feddwl wedi bod ar ralïo drwy'r bore, felly dw i'n siŵr y byddi di'n gwneud gwaith arbennig o dda,' dwrdiodd Mrs John gan godi un o'i haeliau'n feirniadol.

Roedd yn gas gan Henri gael gwaith cartref fel arfer, ond doedd dim ots o gwbl ganddo heddiw. Ysai am gael mynd am adref er mwyn gallu dechrau ar ei waith ymchwil. Roedd y prosiect hwn yn mynd i fod yn hawdd!

Treuliodd Henri yr amser egwyl cyfan yn adrodd hanes y penwythnos wrth ei ffrindiau. Roedden nhw i gyd yn genfigennus ohono, yn enwedig ei ffrindiau gorau, Teifion a Llifon. Roedd y ddau wedi bod yn dilyn ralïau ers blynyddoedd, ond doedd dim un o'r ddau wedi cael cyfle i lywio car rali eto gan nad oedden nhw'n ddigon hen. Bu Henri'n brolio am chwarter awr gyfan, ac roedd e wrth ei fodd yn gweld wynebau ei ffrindiau'n llawn cenfigen!

Wnaeth Henri ddim canolbwyntio rhyw lawer yn ei wersi am weddill y diwrnod. Roedd ei feddwl yn llwyr ar y prosiect. Ac erbyn diwedd y dydd, roedd Henri wedi dod i benderfyniad – roedd e'n mynd i wneud prosiect ar Tomos Evans, neu Tomos Bryncoch fel roedd pawb yn y byd ralïo'n ei adnabod. Roedd e'n ralïwr brwd iawn ac wedi cael llwyddiant ysgubol dros y blynyddoedd diwethaf. Yn wir, roedd e'n enwog yn ardal Aber-llwch. Wrth lwc, roedd e'n ffrindiau mawr gyda Dad, felly roedd Henri'n hyderus y byddai Tomos yn fodlon rhoi help llaw iddo gyda'i brosiect.

Y noson honno, aeth Henri a'i dad draw i fferm Tomos Bryncoch. Wedi cael paned o de a thrafod pwrpas yr ymweliad, aeth Henri yn ei flaen i holi cwestiynau iddo. Bu'n brysur yn paratoi'r rhain ar ôl dod adre o'r ysgol. Roedd Tomos, chwarae teg iddo, yn awyddus iawn i'w helpu.

1. Pryd wnaethoch chi ddechrau ralïo?

Dechreuais i ralïo ugain mlynedd yn ôl. Fi oedd yn llywio a Huw Davies oedd yn gyrru. Roedd y rali'n ein siwtio ni i'r dim. Roedden ni'n cystadlu mewn Avenger oren. Dyna beth oedd sbort a sbri! Aethon ni'r holl ffordd i Loegr a phrynu'r car gyda'n gilydd!

2. Pam ydych chi'n mwynhau llywio a bod yn gyd-yrrwr?

Mewn rali mae'n braf cael anghofio am waith a bywyd bob dydd. Dydw i ddim yn meddwl am waith, ffermio na dim byd arall – dim ond y rali ei hunan. Ac rydw i'n cael gwefr wych wrth gystadlu!

3. Sawl rali ydych chi wedi ei hennill?

Rydw i wedi ennill gwahanol gymalau mewn coedwigoedd ac wedi ennill dwy rali heol. Dw i wedi bod yn fuddugol mewn tua saith neu wyth rali arall hefyd, ond dydw i ddim yn eu cofio nhw i gyd erbyn hyn!

4. Oes gennych chi unrhyw gyngor ar sut i ennill rali?

Mae'n rhaid gwneud eich gwaith cartref a gwybod yn union ble mae'r mannau peryglus ar y daith. Ym mhob rali, mae'n siŵr fod rhyw bedwar neu bum cornel sy'n debygol o drechu hanner y cystadleuwyr. Hefyd, mae'n rhaid cadw'n cŵl, a pheidio gwylltu.

5. Beth ydych chi'n ei gasáu am fyd y rali?

Does dim llawer rydw i'n ei gasáu, a bod yn onest! Rydw i wrth fy modd yn cystadlu neu'n gwylio raliau.

6. Pryd ydych chi'n bwriadu rhoi'r gorau i'r cystadlu?

Pan fydda i wedi mynd yn rhy hen i wneud hynny – pan fydd dim gwallt ar fy mhen a dim dannedd yn fy ngheg!

Ar ôl cwpla holi Tomos, edrychai Henri ymlaen yn awchus at gwblhau ei brosiect. Am unwaith, roedd e'n awyddus i wneud ei waith cartref, a doedd hynny ddim yn digwydd yn aml!

Ychydig cyn i Henri fynd i'r gwely y noson honno, ffoniodd Dai Penywaun i gael gair ag e. Roedd e wedi'i blesio'n fawr gydag aeddfedrwydd Henri yn ystod y cymal amseru ar y penwythnos, ac yn awyddus i Henri fod yn llywiwr iddo eto yn y rali ar y dydd Sadwrn canlynol, gan fod ei bartner yn dal i fod yn dost.

Doedd Henri ddim yn gallu credu'i glustiau! Roedd e'n mynd i gystadlu mewn rali go iawn! Cytunodd ar unwaith ac aeth i'r gwely'n fodlon iawn ei fyd y noson honno. Roedd bywyd yn grêt!

7

Llusgodd pob diwrnod o'r wythnos yn ei flaen fel malwoden, ac roedd dydd Sadwrn yn arafach fyth! Ond, ar ôl prynhawn hir o aros, roedd hi'n bryd i deulu Henri fynd i'r rali o'r diwedd.

Chwyrlïai dail amryliw o amgylch y tŷ fel petaen nhw'n mynd ar ras bwysig i rywle, a gorweddai pentyrrau o frigau'r coed yn druenus ar y lawnt. Syllodd Henri'n ddigalon ar y tywydd diflas drwy'r ffenest wrth wisgo'i got amdano.

Er nad oedd hi'n bwrw glaw ar hyn o bryd, roedd hi wedi bod yn bwrw'n drwm drwy'r wythnos, a'r tymheredd wedi gostwng yn sylweddol. Roedd yr awyr wedi newid ei liw erbyn hyn hefyd. Gobeithiai Henri'n fawr na fyddai'r rali'n cael ei gohirio. Roedd e wedi bod yn edrych ymlaen at gystadlu byth ers derbyn galwad ffôn Dai Penywaun nos Lun diwethaf.

'Dyma dywydd ofnadwy ar gyfer rali,' dywedodd mam Henri, gan wisgo'i chot law drwchus amdani a gosod het wlanog am ei phen. 'Ych a fi. Dw i ddim yn meddwl y bydd 'na lawer o bobl yn mentro allan yn y fath dywydd i wylio'r rali 'ma heno.'

'Dw i'n meddwl bod 'na eira ar droed hefyd,' ychwanegodd ei dad, wrth iddo agor y drws a syllu ar yr awyr lwyd uwchben.

Mentrodd pawb allan o'r tŷ a neidio i mewn i wres y car cyn gynted â phosib. Doedd Henri ddim am fod yn hwyr ar gyfer ei rali gyntaf, felly roedd e wedi perswadio'i deulu i gyrraedd yn brydlon am chwech o'r gloch yr hwyr! Doedd Cara ddim yn hapus o gwbl, ond doedd hynny ddim yn syndod mawr i neb!

Ymhen dim, roedd Henri a'i deulu wedi cyrraedd maes parcio clwb pêl-droed Aber-llwch.

Roedd hi'n oer a gwlyb iawn a'r ddaear yn slic o dan draed. Yn y maes parcio hwn roedd y ceir i fod i ymgasglu cyn i'r rali ddechrau. Ymhen ychydig oriau, byddai'r lle'n ferw gwyllt, a thorf fawr yn tyrru yno i gefnogi'r cystadleuwyr ac i weld y casgliad amrywiol o geir.

Roedd nifer o'r ceir oedd yn cystadlu eisoes wedi cyrraedd yno – Subaru crand, Mk2 Escort, Peugeot 205 ffasiynol iawn, a hen Volkswagen Golf. Ond doedd dim un Cosworth yn eu plith, na Lotus Sunbeam chwaith. Roedd Henri wedi edrych ymlaen yn fawr iawn at eu gweld.

'Mewn ralïau ffordd fawr fel hyn does dim hawl gan neb i ddefnyddio ceir tebyg i'r Cosworths,' esboniodd ei dad pan soniodd Henri pa mor siomedig oedd e nad oedd y ceir hyn yn cymryd rhan yn y rali. 'Maen nhw wedi cael eu gwahardd gan eu bod nhw'n rhy bwerus ar gyfer y math yma o rali. Ond edrych draw fan'na – mae Hywel wedi dod â'i Mitsubishi Lancer draw, er mwyn i bobl gael ei weld. Dyna beth yw clasur o gar!'

Edmygai Henri'r holl geir oedd yno, gan gynnwys y rhai eraill oedd yn cyrraedd bob hyn a hyn. Roedd e'n ysu am gael neidio i mewn i gar

Dai a mynd am sbìn o amgylch heolydd cul a throellog yr ardal. Ond wrth weld yr holl ddynion a'r bechgyn ifanc hyderus yn cerdded o amgylch y maes parcio, dechreuodd Henri deimlo'n nerfus. Ac roedd ei nerfusrwydd ar fin gwaethygu . . .

Gan fod Henri'n wyneb newydd i'r gystadleuaeth, penderfynodd cyflwynydd yr orsaf radio leol gynnal cyfweliad gydag ag ef a Dai Penywaun. Doedd Henri erioed wedi siarad ar y radio o'r blaen, a theimlai'n swp sâl. Roedd e'n ddigon nerfus yn meddwl am y gystadleuaeth, heb sôn am orfod cymryd rhan mewn cyfweliad ar y radio hefyd!

Unwaith y cyrhaeddodd Dai, roedd y cyflwynydd yn awyddus i fwrw ati i'w gyfweld e a Henri. Erbyn hynny, roedd tipyn go lew o'r cystadleuwyr a'r gwylwyr wedi cyrraedd hefyd, ac roedd torf niferus wedi ymgasglu i wylio'r ddau'n cael eu cyfweld!

'Wel Henri, dyma dy rali gynta di! Sut wyt ti'n teimlo?' holodd y cyflwynydd, gan wthio'r meicroffon o dan drwyn Henri.

'Iawn, diolch,' atebodd yn swil. Doedd e wir ddim yn hoffi hyn.

'Wyt ti'n edrych ymlaen?'

'Ydw. Mae Dai Penywaun a Dad wedi dysgu llawer iawn i mi,' esboniodd Henri.

Roedd ei ffrindiau ysgol wedi cyrraedd erbyn hyn ac roedden nhw'n sefyll y tu ôl i'r cyflwynydd yn tynnu wynebau dwl er mwyn ceisio gwneud i Henri chwerthin. Gwthiodd Llifon ei dafod allan, a stwffiodd Tegid ei fysedd i fyny'i drwyn.

Roedd Henri bron iawn â chwerthin yn uchel dros y lle, ond ceisiodd reoli'i hun a chanolbwyntio ar y sgwrs. Ond roedd hynny'n amhosibl! Dechreuodd Teifion siglo'i ben-ôl yn ôl ac ymlaen fel rhywbeth dwl. Wrth i bobl chwerthin am ei ben, dyma Teifion yn ymestyn ei ben-ôl yn uwch i'r awyr, gan fwynhau'r holl sylw roedd e'n ei gael. Gyda hynny, a heb yn wybod iddo, rhwygodd ei jîns. Roedd twll enfawr ynddyn nhw a gallai pawb weld ei bants gwyn â chalonnau mawr coch arnyn nhw!

Chwarddodd y dorf nerth eu pennau, gan gynnwys Henri a'r cyflwynydd radio. Ond roedd Teifion yn dal i siglo'i ben-ôl yn yr awyr, yn hollol ddiarwybod o'r ffaith fod pawb yn gallu gweld ei bants!

'Mae'n rhaid eich bod chi wrandawyr yn pendroni beth yw'r dwli sy'n digwydd 'ma gyda'r holl chwerthin yn y cefndir,' dywedodd y cyflwynydd. 'Wel, credwch chi fi, mae 'na fwy na cheir ralïo i'w gweld 'ma heno!' Trodd at Henri a Dai. 'Gobeithio nad y pen-ôl a'r pants lliwgar yw dy fasgot lwcus di, Henri! Mae'n amlwg eich bod chi'n awyddus i'r ras ddechrau. Pob lwc i'r ddau ohonoch chi.'

Ar ôl i Henri orffen ei gyfweliad radio, roedd hi'n amser canolbwyntio o ddifri a rhoi ei feddwl ar ei waith . . .

8

Cydiodd Henri yn y map a syllu ar yr holl linellau bach yn troelli i bob cyfeiriad. Roedd y cwrs yn un hir a chymhleth. Gyda chymorth ei dad a Dai Penywaun, llwyddodd i ddarllen y map a gwneud nodiadau clir a manwl arno. Roedd yn rhaid nodi pob math o bethau – pa ffyrdd i'w dilyn, lle roedd y cyffyrdd, y ceudyllau, y troeon, y rhiwiau a'r ardaloedd tawel. A hefyd pa fath o arwyneb oedd ar bob cam o'r ffordd. Roedd yn rhaid i Henri wneud hyn cyn gallu cymryd rhan yn y rali.

'Hefyd, bydd yn rhaid i ti wybod y pellter rhwng pob rhwystr, a pha mor siarp yw'r corneli,' atgoffodd Dai ef. 'Bydd hyn yn fy helpu i i wybod sut i drin y car wrth agosáu tuag atyn nhw. Mae paratoi trylwyr a gwaith tîm yn bwysig iawn, cofia.'

'Mae'n rhaid i ti fod mor fanwl â phosib wrth lenwi'r daflen,' dywedodd ei dad. 'Bydd y cyfan yn help mawr i Dai pan fydd e'n gyrru.'

'Bydd raid i ni fod yn hynod ofalus yn y rhan yma,' esboniodd Dai, gan bwyntio at ran o'r map.

'Shwt wyt ti'n gwybod 'ny, Dai?' gofynnodd Henri'n llawn chwilfrydedd. ''Sdim byd wedi'i gofnodi ar y map 'ma.'

'Fe ddoi di i ddeall pethau'n well pan fyddi di wedi bod wrthi ers blynyddoedd. Fe fyddet ti'n cael dy synnu faint o gystadleuwyr sy'n cael gafael ar y mapiau o flaen llaw ac yn gwybod pob manylyn am lwybr y rali cyn y diwrnod mawr.'

'Wir?' gofynnodd Henri'n syn. 'Ond twyll yw hynny!'

'Ie, ond dyw hynny ddim yn rhwystro rhai,' esboniodd Dai. 'Y noson cyn y rali, mae ambell gystadleuydd yn cael ei weld yn dilyn taith y rali gan yrru ar hyd y traciau anodd er mwyn ceisio gwella'i berfformiad. Dwli yw hynny, os wyt ti'n gofyn i fi! Mae peidio gwybod yn llawer mwy cyffrous! Beth bynnag, weithiau mae'n rhaid i'r trefnwyr newid llwybr y rali ar yr eiliad olaf am ryw reswm neu'i gilydd, ac mae hynna'n rhoi tipyn o ben tost i'r cystadleuwyr sydd wedi twyllo!'

Roedd Henri wedi cael ei synnu. Doedd e ddim

wedi disgwyl clywed bod pobl yn twyllo mewn ralïau! Roedd hyn yn ei wneud hyd yn oed yn fwy penderfynol i wneud yn dda, er mwyn profi nad oes rhaid twyllo er mwyn llwyddo.

Gyda help ei dad, roedd Henri wedi paratoi rhestr fanwl o'r holl bethau fyddai eu hangen arno yn y car. Roedd e'n eithriadol o lwcus nad oedd yn rhaid iddo brynu'r holl offer gan ei fod yn gallu defnyddio hen rai ei dad. Penderfynodd Henri edrych ar ei restr unwaith eto er mwyn mynd gyda chrib fân drwy bob peth oedd ei angen arno ar gyfer y rali.

Rhestr o offer ar gyfer y rali
- *Potti* (chwyddwydr crwn gyda golau ar ei waelod ar gyfer darllen map).
- Map Arolwg Ordnans – *Landranger* 1:50000.
- Golau map gyda golau llachar (er mwyn gallu gwahaniaethu rhwng yr heolydd gwyn a melyn ar y map).
- Oriawr sy'n goleuo (er mwyn gallu cadw llygad ar yr amser rhwng pob marsial).
- Pensil (er mwyn gwneud nodiadau am y daith).
- Rwber (er mwyn dileu camgymeriadau).
- *Romer* (teclyn sy'n cynllunio'r ffordd).

- Tortsh i'w gwisgo ar fandyn o amgylch y pen.
- Bwrdd ar gyfer dal map wedi'i wneud o sbwng yn hytrach na phren (byddai hwnnw'n rhoi llai o ddolur petai damwain yn digwydd).
- Tabledi atal chwydu.

Cofiodd Henri i'w dad ddweud stori wrtho am y tro y bu'n chwydu drwy gydol un rali. Bu'n rhaid iddo bwyso'i ben allan o ffenest y car gan chwydu'i berfedd wrth i'r car hedfan o amgylch yr heolydd. Tasgodd y cyfog – oedd yn llawn ffowlyn cyrri a reis – dros ei drowsus wrth i'w bartner droi'r gornel yn sydyn. Doedd hynny ddim yn brofiad pleserus o gwbl, yn enwedig pan ddiferodd y cyfog dros ei fap a'i bensil hefyd! Roedd e'n drewi o gyrri am ddyddiau – doedd e erioed wedi bwyta cyrri ffowlyn ers hynny!

'A chofia dy glustog ar gyfer dy ben-ôl,' atgoffodd ei fam ef, gan dorri ar draws ei feddyliau. Rhoddodd winc arno a chodi'i bys bawd yn frwdfrydig. 'Pob lwc i ti, cariad.'

'Ie, pob lwc,' dywedodd ei dad, 'a diolcha mai Subaru sydd gyda chi heno. Byddai dy goesau a dy ben-ôl di'n fwy tost o lawer taset ti mewn hen Escort. Byddet ti'n bownsio dros bob man. Dw i'n siarad o brofiad, cofia.' Chwarddodd ei dad yn sionc.

'Paid â gyrru'n rhy glou nawr, Dai,' ymbiliodd mam Henri arno.

'Paid â phoeni, dw i ddim hanner mor wyllt ag o'n i ugain mlynedd yn ôl. Fe fydda i'n siŵr o edrych ar ôl dy fab di! Beth bynnag, gyda phŵer ychwanegol yn yr injan, byddwn ni wedi gorffen y rali 'ma cyn i ti droi rownd, fe gei di weld!'

Rholiodd tad Henri ei lygaid. Roedd e'n adnabod Dai ers blynyddoedd lawer ac yn gwybod ei fod yn yrrwr profiadol, felly doedd e ddim yn poeni'n ormodol am ddiogelwch ei fab.

Ffarweliodd rhieni Henri ag e wrth iddo neidio i mewn i'r car gyda Dai. Roedd popeth gyda nhw ac roedden nhw'n barod i fynd. Caeodd Henri'r gwregys yn sownd, a chyn pen dim roedd Dai'n gyrru'r car i gyfeiriad y garej y tu allan i'r dref. Yno, mewn sied fawr, roedd y prawf sain yn digwydd.

'Does dim hawl gan neb gystadlu mewn car sy'n rhy swnllyd,' esboniodd Dai, 'neu fe fyddwn ni'n dihuno trigolion yr ardal. Felly mae'n rhaid cael prawf sain cyn gallu cystadlu yn y rali. Bydd y marsialiaid yn y garej yn defnyddio mesurydd i ddarllen desibelau. Rhaid i'r canlyniad fod yn llai na chant a thri desibel. Felly croesa dy fysedd y gwnawn ni lwyddo yn y prawf, achos mae'r Subaru bach hwn yn uchel iawn ei gloch!'

Ar ôl cael canlyniad o 98 desibel, roedd hi'n bryd mynd â'r car i gael ei arolygu. Roedd yn rhaid i bob car fynd drwy'r broses hon cyn cael cystadlu. Aeth yr arolygwr ati'n frwd i archwilio tystysgrif prawf MOT y car a sicrhau ei fod yn gyfreithiol i'w yrru dan reolau'r Gymdeithas Ralïo. Gwnaeth yn siŵr fod y seddau'n ddiogel a'u bod wedi'u bolltio'n gywir i'r llawr, bod y gwregysau'n rhai cywir a bod y car mewn cyflwr da. Edrychodd hefyd i wneud yn siŵr nad oedd unrhyw ymylon miniog ar y car a bod y teiars cywir yn cael eu defnyddio. Wrth lwc, pasiodd y car bob prawf.

'Y cyfan sydd yn rhaid i ni ei wneud nawr yw cofrestru,' dywedodd Dai gan barcio'r car yn y maes parcio unwaith eto a cherdded tuag at y clwb pêl-droed.

Dilynodd Henri ef i mewn i'r neuadd lle roedd byrddau'n llawn pentyrrau o bapur. Roedd yn rhaid i Dai ddangos pob math o ddogfennau – ei

drwydded cystadlu, ei ddogfennau yswiriant, ei gerdyn aelodaeth a'r mapiau (er mwyn sicrhau nad oedd yn twyllo). Roedd hi'n broses allweddol.

Ar ôl cofrestru, cerddodd y ddau'n ôl at y car. Rhoddodd Dai Penywaun y rhif cystadlu ar ffenest gefn y car ac un arall ar un o'r ffenestri ochr. Roedd e wedi bod yn casglu'r sticeri hyn ers blynyddoedd, ac ar ôl pob rali byddai'n gosod y sticer ar wal ei garej gartref fel swfenîr. Cafodd y sticer cyntaf ugain mlynedd yn ôl ac roedd ganddo gasgliad enfawr erbyn hyn!

'Gan eu bod nhw wedi rhoi dau sticer i ni, hoffet ti gadw'r ail un pan fydd y rali ar ben?' gofynnodd Dai yn hael.

'Byddai hynny'n grêt!' ebychodd Henri.

Penderfynodd y byddai yntau'n dechrau casgliad o sticeri rali. Edrychai ymlaen yn fawr at yr amser pan fyddai ganddo gasgliad llawn cymaint ag un Dai!

9

Erbyn hanner awr wedi deg y noson honno, roedd Henri wedi cael llond bol ar aros. Roedd e'n dechrau teimlo'n ddiamynedd iawn, felly pan glywodd un o'r trefnwyr yn tawelu'r dorf, dechreuodd gyffroi drwyddo. O'r diwedd! meddyliodd.

'Shwmai,' meddai'r trefnydd, wrth gyfarch y dorf. 'Gobeithio'ch bod chi'n edrych ymlaen at y rali heno. Ry'ch chi gyd yn gyfarwydd â'r rheolau, ond wnaiff hi ddim drwg i mi eich atgoffa chi unwaith eto, yn enwedig gan fod ambell wyneb newydd gyda ni heno.'

Roedd Henri eisoes yn gwybod y rheolau i gyd gan fod ei dad wedi sôn amdanyn nhw'n ddigon aml. Ond gwrandawodd yn astud ar y trefnydd rhag ofn ei fod wedi anghofio un ohonyn nhw.

'Stopiwch ym mhob cyffordd, a pheidiwch â theithio'n rhy gyflym,' meddai'r trefnydd gan ddechrau rhestru rhai o'r rheolau mwyaf pwysig. 'Byddwch yn wyliadwrus o gerddwyr a moduron eraill ar y ffordd, a pharchwch bobl eraill.

Cofiwch yrru'n dawel drwy'r trefi a'r pentrefi er mwyn peidio â dihuno'r trigolion, a throwch eich golau mawr i ffwrdd yn yr ardaloedd hyn hefyd. Fyddan nhw ddim yn gwerthfawrogi cael hwliganiaid yn tarfu arnyn nhw! Dyna ni – gobeithio y bydd pob un ohonoch chi'n cael rali lwyddiannus. Lwc dda i chi i gyd a diolch yn fawr i chi am wrando.'

Gwasgarodd pawb ar ôl i'r trefnydd gwpla'i araith. Anelodd y cystadleuwyr at eu ceir ac aeth y dorf i chwilio am safle da i wylio'r rali. Roedd hi ar fin dechrau!

Cerddodd Henri ar ôl Dai at y car, eistedd yn gyfforddus a rhoi ei wregys yn sownd amdano. Teimlai'n llawn cyffro wrth edrych o'i amgylch. Roedd tyrfa enfawr wedi casglu ynghyd wrth y llinell gychwyn, ac roedd gweld yr holl amrywiaeth o geir rali'n rhoi gwefr anhygoel iddo. Gobeithiai'n fawr na fyddai'n gwneud cawl o bethau gyda'r llywio – roedd e am wneud yn dda er mwyn plesio Dai.

Ymhen ychydig, taniwyd injan y car rali o'u blaenau, a thro Dai a Henri oedd hi nesaf. Byddai'r ceir yn dechrau symud o fewn munud, gyda'r gyrwyr cyflymaf a'r mwyaf profiadol yn mynd yn gyntaf. Rhif 64 oedd car Dai a Henri.

Yn sydyn, dyma Dai'n tanio'r injan a daeth swn rhuo o grombil y car. Bant â'r cart!

Canolbwyntiodd Henri'n galed ar ei fap, yn barod i roi cyfarwyddiadau i Dai. Roedd e'n gyfarwydd iawn â'r heol hon. Byddai ei fam ac yntau'n teithio ar hyd y ffordd yn aml wrth fynd â'r ci am dro i draeth Aber-llwch, ond roedd ei fam yn gyrru'n llawer arafach na Dai! Gwelodd Henri'r sbidomedr yn cyrraedd saith deg milltir yr awr wrth i Dai yrru tuag at gornel yn yr heol. Mae hyn yn hollol wallgof! meddyliodd.

'I'r dde yma,' meddai Henri'n gadarn. 'De cyflym yn y gyffordd, heibio i Fferm Gelliwen Fawr ac yna Gelliwen Fach i fyny'r ffordd. De siarp 'nôl am Gwmllydan.'

Roedd tad Henri wedi'i ddysgu sut i roi cyfarwyddiadau mewn ffordd effeithiol. Doedd dim digon o amser gan unrhyw lywiwr i siarad mewn brawddegau llawn, felly er bod Henri'n teimlo ei fod yn swnio braidd yn rhyfedd, dyma'r ffordd orau iddo gyfathrebu â Dai. Fyddai Mrs John ddim yn hapus o gwbl yn ei glywed yn siarad fel hyn, meddyliodd!

Cyflymodd y car tuag at heol gul a throellog gydag ambell grwb yn ymddangos ynddi bob hyn a hyn. Roedd gyrru ar y ffordd hon yn heriol iawn. Byddai'n hawdd gwneud difrod i'r car wrth dasgu dros un crwb a glanio'n lletchwith ar un arall. Neidiodd stumog Henri i fyny i'w geg ac yna setlo'n ôl i'w lle wrth i'r car lamu fel broga dros grwb a glanio'n dwt. Dyna beth oedd teimlad afiach!

Roedd criw bach o bobl wedi ymgasglu ar ben pella'r heol, a churodd pawb eu dwylo wrth i Dai a Henri gyrraedd diwedd y crybiau, yna gyrru ymlaen ar unwaith. Roedd y rali'n gant a deugain milltir o hyd, felly roedd tipyn o waith gyrru o'u blaenau!

Ar ôl dwy awr o yrru, dyma nhw'n dod i stop mewn garej wledig ar yr heol gefn i Gwm-glo. Byddai'r cystadleuwyr i gyd yn stopio yno er mwyn cael hoe fach. Roedd hi'n gyfle gwych i fynd i'r tŷ bach a chael diod a thamaid i'w fwyta. Byddai'r cystadleuwyr mwyaf difrifol yn astudio'r mapiau ac yn trafod eu cynlluniau ar gyfer gweddill y daith, ond byddai'r lleill yn sgwrsio'n hamddenol ac yn rhoi'r byd yn ei le! Roedd torf o gefnogwyr wedi ymgasglu i weld y ceir yn cyrraedd.

Teimlai Henri fod y rali'n mynd yn hwylus hyd yn hyn a doedd e ddim wedi gwneud unrhyw gamgymeriadau ofnadwy, diolch byth! Roedd e'n adnabod heolydd cul yr ardal fel cefn ei law gan ei fod eisoes wedi teithio arnyn nhw lawer gwaith o'r blaen gyda'i rieni. Roedd hynny'n help mawr iddo wrth wneud y gwaith llywio.

Camodd Henri allan o'r car ac ymestyn ei goesau. Aeth Dai i archwilio lefelau'r dŵr a'r olew yn y car, a rhoi petrol yn y tanc. Roedd hawl gan y cystadleuwyr i archwilio'u ceir, ond doedden nhw ddim yn cael rhoi gwasanaeth iddyn nhw. Byddai hynny'n torri'r rheolau.

Ar ôl i Dai orffen archwilio'r car, aeth Henri ac yntau'n ôl i mewn iddo ac ailddechrau'r rali.

'Araf, araf. I lawr i'r cwm, y ffordd yn culhau. I fyny rhiw serth. Syth ymlaen at Fferm Bryngarw . . .' Aeth hyn ymlaen am dipyn, gyda Henri'n rhoi'r cyfarwyddiadau a Dai'n gyrru'r car yn grefftus ar hyd yr heolydd.

Rhyw awr yn ddiweddarach, teithiodd y car drwy glos fferm, yna heibio i lôn gul, a'r mwd a'r dŵr yn tasgu dros y ffordd bob ochr i'r car. Gwelodd Henri fod car rali ar stop ychydig o'u blaenau, a chymylau o stêm yn codi o'r injan cyn diflannu'n raddol i ddüwch y nos. Roedd rheiddiadur y car yn amlwg wedi gor-ferwi.

Arafodd Dai y car wrth basio rhag ofn bod ar y cystadleuwyr yn y car angen help, ond doedd neb wedi cael niwed. Gwnaeth un o'r cystadleuwyr ystumiau ar Dai i fynd yn ei flaen, felly gwasgodd ar y sbardun unwaith eto, ac ymlaen â nhw.

Druan â'r criw arall, meddyliodd Henri. Doedd e ddim am i rywbeth tebyg ddigwydd i'w car nhw! Roedd e'n benderfynol o lwyddo, ac yn dawel bach roedd e'n mawr obeithio y byddai'r ddau ohonyn nhw'n ennill y rali. Roedd e hyd yn oed wedi paratoi araith ar gyfer y seremoni wobrwyo pan fyddai'n ennill y cwpan gwydr! Ond, yn naturiol, fyddai e byth yn cyfaddef hynny wrth neb!

Yn fuan, roedden nhw'n gwibio trwy bentref Llwyngors, a hedfanodd y car dros bont cyn troi'n sydyn i'r chwith. Yno, roedd yr afon wedi gorlifo'i glannau. Gwasgodd Dai ar y brêc pan welodd y dŵr llonydd ar draws y ffordd a thasgodd y llifeiriant dros fonet y car. Gallai dŵr ar yr heol fod yn beryglus iawn, ond y tro hwn doedd e ddim wedi amharu dim arnyn nhw, diolch byth. Cyflymodd y car a diflannu i fyny'r ffordd gan adael cwmwl o fwg ar ei ôl.

'Peryg posib,' rhybuddiodd Henri. 'Cornel gas iawn o'n blaenau. Ychydig o dro cant wyth deg gradd.'

Tin-daflodd Dai y Subaru yn dwt rownd y gornel beryglus cyn ymuno'n ddiogel â'r ffordd fawr. Ond yn sydyn, yn hollol ddirybudd, dyma fochyn daear anferth yn ymddangos o flaen y car. Gwaeddodd Henri mewn braw wrth weld llygaid yr anifail gwyllt yn disgleirio yng ngolau'r cerbyd.

Gydag un symudiad cyflym, trodd Dai'r llyw er mwyn ceisio osgoi'r anifail. Ond wrth iddo wneud hynny, dyma'r car yn gwyro allan o reolaeth i'r dde. Curai calon Henri fel gordd wrth i'r car anelu am y clawdd. Gwasgodd Dai'r brêc yn galed, ond roedd e'n rhy hwyr . . .

10

Rhewodd yr anifail diniwed yn ei unfan am ychydig eiliadau, cyn ffoi'n gyflym a'i gynffon bwt yn dynn rhwng ei goesau. Roedd y car wedi dringo i fyny'r clawdd wrth ochr yr heol, a glanio yn y ffos. Fflachiodd golau'r car am eiliad cyn gwanhau a diffodd yn gyfan gwbl. Yn sydyn, roedd hi mor dywyll â bol buwch!

'Henri? Wyt ti'n iawn?' holodd Dai, wrth dynnu'i wregys diogelwch yn rhydd yn ofalus. Doedd e ddim yn gallu gweld unrhyw beth gan fod popeth fel y fagddu.

'Henri?' gofynnodd Dai unwaith eto, a'r panig yn amlwg yn ei lais y tro hwn.

'Dw i'n meddwl 'mod i'n iawn,' atebodd Henri'n grynedig.

Roedd e wedi cael tipyn o sioc. Doedd e erioed wedi bod mewn damwain car o'r blaen. Teimlai'n annifyr iawn, ac roedd e'n siŵr ei fod e ar fin chwydu. Er bod ei ddwylo a'i goesau'n crynu'n afreolus, doedd e ddim yn meddwl ei fod wedi cael unrhyw anaf.

Tynnodd Dai ei hun allan o'r car a chododd Henri o'i sedd yntau a mynd allan o'r Subaru yn araf, gan ddringo i fyny o'r ffos i'r heol.

'Damo'r anifail 'na!' gwaeddodd Dai'n gynddeiriog.

Erbyn hyn, roedd llygaid y ddau wedi dechrau ymgyfarwyddo â'r tywyllwch. Syllodd y ddau mewn anobaith ar y car rali. Roedd tolc mawr yn y bonet a dŵr yn byrlymu heibio i olwynion y car.

'Ry'n ni wedi colli'r rali achos mochyn daear!' Rhegodd Dai o dan ei anadl. 'Nid teiar fflat neu injan ddiffygiol – nage, mochyn daear! A nawr mae'r car yn llawn tolciau! Bydd yn cymryd misoedd i gael y car 'ma 'nôl i'w gyflwr gwreiddiol!'

Doedd e ddim yn ddyn hapus, ddim yn hapus o gwbl, ac roedd gobeithion Henri o ennill y rali fawr yn diflannu'r un mor gyflym â'r dŵr oedd yn llifo i'r gwter . . .

Wrth i Dai astudio'r car, daeth rhyw hanner dwsin o fechgyn ifanc oedd yn dilyn y rali draw atyn nhw. Roedden nhw wedi gweld y ddamwain yn digwydd ac wedi rhuthro draw i wneud yn siŵr bod y ddau yn iawn.

Ar ôl trafod am ychydig funudau, penderfynodd y criw efallai y byddai modd codi'r car o'r ffos. Gwasgarodd pawb o amgylch y car a pharatoi i ddefnyddio'u holl nerth. Petai'r bechgyn yn gallu gwneud hynny, byddai siawns dda gan Dai a Henri i barhau â'r rali, felly croesodd Henri ei fysedd gan obeithio'n fawr y bydden nhw'n llwyddo.

'Ar ôl tri, fechgyn . . .' gwaeddodd Dai. 'Un . . . dau . . . tri . . !'

Roedd llygedyn o obaith . . .

Safodd Henri'n amyneddgar yn gwylio'r criw'n gweithio'n galed. O dipyn i beth, gyda

llawer o rwgnach a thuchan, dyma nhw'n llwyddo i dynnu'r car o'r ffos.

'Oes 'na lawer o ddifrod i'r car?' holodd Henri.

'Oes, yn anffodus,' atebodd Dai'n ddigalon. 'Bydd yn rhaid i mi wario tua mil o bunnau i'w drwsio, mae'n siŵr.'

'Oes gobaith i ni orffen y rali?' gofynnodd Henri gan ofni'r ateb.

Ond ddywedodd Dai 'run gair, dim ond taro'r goleuadau blaen â'i ddwrn. Ac yn wyrthiol, dyma nhw'n goleuo'n sydyn! Roedd Dai'n wên o glust i glust erbyn hyn.

'Dere 'mlaen, Henri bach,' meddai'n llawn cyffro. 'Dyw'r rali ddim ar ben eto. Neidia i mewn i'r car!' Trodd at y bechgyn oedd wedi bod yn gymaint o help, a tharo un ohonyn nhw'n gyfeillgar ar ei ysgwydd. 'Diolch o galon i chi fechgyn am eich holl help. Roeddech chi'n grêt! Fyddai Henri a fi byth wedi gallu cario 'mlaen â'r rali heb eich caredigrwydd chi!'

Neidiodd Dai a Henri i mewn i'r car rali unwaith eto a gwneud yn siŵr bod y gwregysau'n cau'n dynn amdanyn nhw. Er bod y car yn llawn tolciau, roedd gobaith ei fod yn dal i weithio.

Taniodd Dai'r injan yn ansicr, ac wrth lwc daeth sŵn rhuo melfedaidd i glustiau'r ddau.

Winciodd Dai'n ddireidus ar Henri cyn gwasgu'i droed yn galed ar y sbardun. Troellodd y teiars yn gyflym gan adael marc gwlyb ar eu hôl wrth i'r car dasgu yn ei flaen.

Ceisiodd Henri ei orau glas i ailgydio yn ei swydd fel llywiwr, ond roedd e'n cael trafferth canolbwyntio ar ôl y ddamwain. Ar ôl teithio rhyw ddwy filltir ar ras wyllt, dyma Henri'n distewi'n sydyn. Edrychodd yn ddryslyd ar y map.

'Ble nesaf, Henri?' holodd Dai.

'Ym, dw i'n meddwl ein bod ni ar goll,' mwmianodd Henri'n llawn cywilydd. Y peth diwethaf oedd e am ei wneud oedd siomi Dai. 'Yn ôl y map, dylen ni droi i'r dde yn fan hyn, ond does dim heol yma. Dw i ddim yn deall y peth.'

Crychodd Henri'i dalcen. Doedd y peth ddim yn gwneud synnwyr.

Bu'n rhaid i Dai stopio'r car er mwyn cael golwg ar y map, a gwnaeth hynny i Henri deimlo hyd yn oed yn waeth. Roedden nhw'n colli amser gwerthfawr o'i achos e. Roedd e wedi colli llawer o hyder o ganlyniad i'r ddamwain, a theimlai awydd rhoi'r gorau iddi yn y fan a'r lle.

'Falle mai fi sydd wedi gwneud camgymeriad,' dywedodd Henri'n siomedig. Roedd e'n isel iawn ei ysbryd erbyn hyn. 'Sori, Dai.'

'Paid â digalonni,' dywedodd hwnnw, gan estyn am y map. 'Aros di, mae'n dangos mai bwlch sydd yn fan'na, nid heol. Edrych, mae bwlch yn y clawdd. Mae'n siŵr taw fan'na mae'n rhaid i ni droi.'

Symudodd y car yn agosach at y bwlch, ac yn wir, roedd ôl traciau ceir eraill yno. Felly, dyma Dai'n gyrru drwy'r bwlch a chadw'n agos at y clawdd. Roedd bwlch arall ar waelod y cae er mwyn iddyn nhw ailymuno â'r ffordd fawr.

'Ti'n gweld, Henri, mae trefnwyr ralïau'n glyfar dros ben,' dywedodd Dai. 'Maen nhw'n gwneud yn siŵr bod y cyrsiau'n heriol iawn ac yn cadw pawb ar flaenau'u traed drwy'r amser. Duw a ŵyr pa her fydd o dy flaen di nesaf!'

Wrth nesáu at y bwlch, gwelodd Henri fwrdd côd yn y clawdd. Syllodd yn gyflym ar y llythrennau a'u nodi ar ei daflen amser. Roedd yn rhaid cael pob côd yn gywir er mwyn cael siawns i ennill ar ddiwedd y rali. Roedd sawl bwrdd côd wedi'u gosod ar hyd y daith, felly roedd yn rhaid i Henri fod yn wyliadwrus. Nid cyflymdra oedd popeth!

11

'Stop!' gwaeddodd Henri nerth ei ben, a golwg ddifrifol ar ei wyneb.

Eisteddodd mor bell yn ôl ag y gallai yn ei sedd a'i law chwith yn gafael yn dynn yn nrws y car. Roedd ei goesau'n syth fel stilts pren a'i ben yn pwyso'n ôl yn erbyn y sedd, wedi'i barlysu gan ofn.

Sgrialodd a mygodd y teiars wrth i Dai stopio'r car ar unwaith. Roedd yntau hefyd wedi cael llond bol o ofn. Eiliad arall, ac mi fyddai'n rhy hwyr! Prin fetr o flaen y car roedd asyn mawr llwyd yn sefyll yng nghanol yr heol!

'Beth ar wyneb y ddaear mae asyn yn ei wneud yng nghanol yr heol?' ebychodd Henri mewn syndod.

'Mae'n siŵr ei fod e wedi dianc o ryw fferm,' atebodd Dai.

Am eiliad neu ddwy, ddywedodd yr un o'r ddau 'run gair, dim ond syllu'n syn ar yr anifail. Safai hwnnw'n urddasol, a'i gorff yn ymestyn ar draws yr heol gul. Doedd dim gobaith mynd

heibio iddo! Edrychodd yr asyn yn hamddenol ar y car, a'i lygaid yn cau bob hyn a hyn yng ngolau llachar y car. Roedd yn amlwg nad oedd e'n bwriadu symud 'run cam!

'Ydy'r anifail 'ma'n gwybod bod rali bwysig yn digwydd ar yr heol hon heno?' dywedodd Dai'n ddiamynedd. 'Ry'n ni'n colli eiliadau pwysig fan hyn! Dere 'mlaen, symuda o'r ffordd!'

Ond doedd dim awydd symud ar yr asyn. Canodd Dai'r corn yn y gobaith y byddai hynny'n ei annog i symud o'r ffordd, ond roedd yr anifail yn gwbl benstiff. Siglai ei gynffon yn ôl a 'mlaen a dylyfai'i ên yn swnllyd, gan ddangos rhes o ddannedd mawr disglair.

'Cer o 'ma'r anifail diawl!' gwaeddodd Dai yn ddiamynedd allan drwy'r ffenest.

Sylwodd Henri ar fwlch yn y clawdd ychydig fetrau i fyny'r hewl, a giât yn gil agored.

'Edrych, Dai,' dywedodd, gan bwyntio o'i flaen. 'Mae'n siŵr fod yr asyn wedi dianc o'r cae draw fan'na.'

'Ti'n iawn, bachan. Cer i weld os gelli di ei arwain e'n ôl i'r cae. Ond bydd yn ofalus na chei di gic – hen bethe stwbwrn yw asynnod, cofia!'

Camodd Henri'n ufudd o'r car a cherdded yn araf tuag at yr asyn, gan geisio peidio â chodi ofn arno. Wrth iddo agosáu, dechreuodd yr asyn gerdded yn ei flaen ling-di-long gan siglo'i gynffon bob hyn a hyn. Yna, gydag ychydig o berswâd gan Henri, trodd yn araf i mewn i'r cae a diflannu i ddüwch y nos. Caeodd Henri'r giât yn gyflym ar ei ôl a chau'r follt yn dynn. O leiaf roedd yr asyn yn ddiogel nawr.

'Alla i ddim credu'r peth,' meddai Dai wrth i Henri gamu i mewn i'r car. 'Dw i erioed wedi dod ar draws asyn wrth yrru mewn rali o'r blaen. Aros di hyd nes i mi adrodd yr hanes wrth weddill y bois!' Gwasgodd ei droed ar y sbardun a rhuo oddi yno cyn gynted â phosib.

Teimlai Henri'n hynod o falch ei fod e wedi gallu helpu'r asyn. Byddai'n rhaid iddo ddweud yr hanes wrth Mam a Dad a'i ffrindiau yn yr ysgol, meddyliodd. Roedd ei rali gyntaf yn un gyffrous ar y naw, ac yn bendant yn un i'w chofio!

12

Yn y cyfamser, roedd rhieni Henri a'i ddwy chwaer wedi dod o hyd i safle gwylio da lle gallen nhw aros am gar Henri a Dai. Gyda'r ffordd yn glir, aeth y teulu i sefyll mewn man diogel wrth ymyl rhai o'r cefnogwyr eraill. Roedd bron pawb yn cario tortsh, felly roedd digon o olau yno i bawb allu gweld beth oedd yn digwydd. Safai stiward mewn siaced felen yno, i wneud yn siŵr nad oedd y gynulleidfa'n amharu ar y rali mewn unrhyw ffordd, nac yn sefyll mewn lle peryglus.

Roedd nifer o'r marsialiaid wedi cael eu gwasgaru ar hyd llwybr y rali er mwyn i'r cystadleuwyr allu dangos ffurflen iddyn nhw. Byddai'r marsialiaid wedyn yn arwyddo'r ffurflenni hynny ac yn nodi'r union amser roedd y car wedi cyrraedd y man hwnnw ar y daith. Ar ddiwedd y gystadleuaeth, byddai'n rhaid sicrhau bod amserau'r cystadleuwyr yn cyd-fynd â'r amserau ar ffurflenni'r marsialiaid. Trwy wneud hyn, roedd modd sicrhau bod pob car wedi dilyn y ffordd gywir heb dwyllo.

'Byddan nhw 'ma cyn bo hir,' dywedodd tad Henri. 'Mae car rhif 50 newydd fynd heibio.'

Mewn ychydig eiliadau, dyma gar arall yn gwibio heibio iddyn nhw ac yn sgrialu rownd y gornel. Stopiodd wrth ochr y marsial ac yna bant â nhw unwaith eto i ddüwch y nos.

Car rhif 58 oedd y nesaf i wibio heibio.

'Wel, wel, beth sydd wedi digwydd i'r ceir eraill 'te?' holodd Ela.

'Maen nhw'n sownd mewn clawdd, siŵr o fod,' atebodd Cara'n ddiflas, gan bwyso botymau ei ffôn symudol. Roedd hi wedi cael llond bol ac yn hen barod i fynd adref. 'Mae hyn yn hollol *boring*, Dad. Mae bob car yn edrych ac yn swnio'r un fath yn union. Am hobi dwl!'

Anwybyddodd pawb hi!

Gyda hynny, daeth sawl car arall heibio, a chyn bo hir, daeth car Henri a Dai Penywaun i'r golwg. Gwaeddodd rhieni Henri, Cara ac Ela eu cymeradwyaeth wrth i'r car agosáu a dod i stop wrth ochr y marsial. Unwaith roedd hwnnw wedi arwyddo'r ffurflen, gwasgodd Dai y sbardun a bant â nhw'n gyflym, heb wastraffu eiliad.

Ychydig i lawr y ffordd, ar Fferm Blaenwern, roedd yn rhaid i'r cystadleuwyr fynd rownd y pydew silwair, drwy'r giât ac yna i lawr ffordd droellog.

'Araf bach, Dai,' rhybuddiodd Henri.

Ond doedd Dai ddim am arafu. Roedd cynulleidfa fawr wedi ymgynnull yno i weld y gyrwyr yn meistroli'r llwybr cymhleth, a phenderfynodd Dai roi sioe werth chweil iddyn nhw.

'Chwarae teg hefyd i'r holl bobl 'ma am sefyll mas yn y fath dywydd oer. Maen nhw'n haeddu bach o wledd!' dywedodd, cyn codi'r brêc llaw.

Sgrialodd pen-ôl y car i bob cyfeiriad ar y llawr
slic a chymeradwyodd y dorf yn wyllt. Roedden
nhw wrth eu bodd yn gwylio campau
gwefreiddiol Dai – hynny yw, hyd nes iddo fynd
un cam yn rhy bell . . .

'Siarp i'r dde! Siarp!' gwaeddodd Henri.

Ond roedd hi'n rhy hwyr. Tarodd blaen y car yn erbyn giât fetel y fferm gan wneud clamp o dolc yn ei chanol.

'Wps!' ebychodd Dai, a'i fochau'n gwrido. 'O diar, dyw'r ffermwr ddim yn mynd i fod yn hapus iawn pan welith e'r giât 'na fory! Ac edrych, mae'r golau mawr ar y blaen yn yfflon! Mae'n mynd i fod yn anodd gweld y ffordd o hyn 'mlaen! Damo'r giât 'na!'

Ar ôl hanner awr o geisio ymgodymu â'r ffordd heb lawer o olau, aeth pethau o ddrwg i waeth i'r ddau. Trodd yr awyr yn lliw rhyfedd yng ngolau'r lleuad, ac ymhen chwinciad dechreuodd fwrw eira'n drwm. Nid plu eira mawr oedd yn dueddol o gael eu sugno i'r ddaear a diflannu o'r golwg oedd y rhain, ond rhai mân oedd yn glynu ar y ddaear, ac yn prysur orchuddio'r wlad o'u cwmpas.

Syllodd Dai a Henri'n bryderus ar yr awyr. Petai'r eira'n parhau i gwympo yr un mor drwm â hyn, mi fydden nhw mewn trwbwl mawr yn fuan iawn . . .

13

Doedd Henri ddim yn gallu credu'r peth! Prin chwarter awr ar ôl iddi ddechrau bwrw eira, roedd yr olygfa drwy ffenest y car wedi traws-newid yn llwyr. Erbyn hyn, roedd yr heol o'u blaenau wedi'i gorchuddio'n llwyr â haen wen.

'Dyma beth yw anlwc,' ochneidiodd Dai'n ddigalon wrth yrru'n ofalus drwy'r storm. 'Do'n i ddim wedi disgwyl tywydd fel hyn heno, mae hynny'n bendant!'

Gwyliodd Henri'r eira'n cwympo'n drwch gan deimlo'n hollol anobeithiol.

'Mae'n anodd iawn gyrru mewn amgylchiadau fel hyn,' dywedodd Dai'n bryderus. 'Dylai fod teiars gwell gyda ni, rhai sydd â bach mwy o afael. Bydd raid i ni arafu neu byddwn ni'n glanio yn y clawdd eto!'

Edrychai pobman o'u hamgylch yn hollol ddieithr. Roedd Dai'n cael trafferth dilyn y ffordd erbyn hyn gan fod yr eira'n cwympo mor gyflym. Doedd y glanhawyr ffenest ddim hyd yn oed yn cael cyfle i glirio'r gwydr yn llwyr cyn bod

haen arall o eira'n ei orchuddio. Ac o fewn munudau, roedd y cloddiau bob ochr i'r ffordd wedi'u gorchuddio â blanced o eira.

'Dal yn sownd, Henri. Mae'n llithrig iawn yma,' dywedodd Dai wrth i'r car lithro ar hyd yr heol. 'Falle bydd y trefnwyr yn gohirio'r rali dan amodau iechyd a diogelwch.'

Collodd Dai reolaeth ar y car sawl tro wrth geisio dringo rhiw serth drwy'r lluwchfeydd o eira. Ar un adeg, roedd Henri'n pryderu na fyddai'n bosib iddyn nhw gyrraedd pen y rhiw hyd yn oed, heb sôn am orffen y rali. Edrychodd ar ei fap a gweld mai dim ond tua dwy filltir oedd ar ôl o'r rali. Byddai'n drueni mawr pe na baen nhw'n gallu cwpla ar ôl dod mor agos, meddyliodd Henri.

Eisteddodd yn hollol dawel. Er bod y profiad yn llawn perygl, doedd e ddim yn gallu rhwystro'i hun rhag teimlo'n gyffrous hefyd!

'O diar,' dywedodd Dai wrth i'r car ddechrau llithro wysg ei ochr unwaith eto.

Trodd yr olwyn i'r chwith ac yna i'r dde'n gyflym gan geisio cadw'r car yng nghanol yr heol. Gwasgodd yn ysgafn ar y sbardun er mwyn i'r olwynion allu cael peth gafael ar yr heol a thrwy ddefnyddio'r gerau'n fedrus, llwyddodd i gyrraedd hanner ffordd i fyny'r rhiw'n ddiogel. Ond o'r fan yma ymlaen roedd y rhiw'n mynd yn fwy serth o lawer.

'Dere 'mlaen, gar bach,' meddai Dai'n benderfynol. 'Paid â'n siomi ni nawr.'

Llusgodd y Subaru yn ei flaen i fyny'r ffordd fel hen falwoden yn dod at ddiwedd ei hoes. Mewn rhai munudau, cyrhaeddodd y ddau ar ben y rhiw'n ddiogel.

'Roedd hwnna'n agos!' dywedodd Henri'n grynedig braidd.

'Agos iawn, Henri bach,' chwarddodd Dai, a'i lais yn llawn rhyddhad.

Gyrrodd y ddau'n ofalus tuag at y ffordd fawr, heibio i'r goedwig, ac anelu am y brif ffordd i Aber-llwch. Doedd yr heol hon ddim cynddrwg, diolch byth, er ei bod yn dal i fod yn beryglus. Ac wrth lwc, peidiodd yr eira yr un mor sydyn ag y dechreuodd.

'Dim ond milltir sydd ar ôl,' dywedodd Henri'n llawn cyffro.

'Mae milltir yn dipyn pan mae eira ar yr heol!' rhybuddiodd Dai ef.

Roedd yr heol yn amlwg yn slic iawn gan fod y slwtsh yn achosi'r car i wyro i'r ochr bob hyn a hyn. Pwyllodd Dai ac arafu ychydig. Er ei fod yn gystadleuol tu hwnt ac yn awchu am gyrraedd y llinell derfyn, roedd diogelwch yn bwysig iawn iddo hefyd.

O'r diwedd, gwelodd Henri'r llinell derfyn o'i flaen. Roedden nhw wedi cyrraedd mewn un darn!

'Hwrê!' gwaeddodd Henri'n hapus.

'Mae'n draddodiad gyda fi i roi tipyn o sioe i'r gwylwyr pan fydda i'n gorffen rali. Felly dal yn sownd,' rhybuddiodd Dai ef wrth agosáu at y llinell derfyn, yn amlwg heb ddysgu'i wers ar ôl y digwyddiad gyda'r giât fferm ychydig amser yn ôl.

Eiliad yn ddiweddarach gwasgodd y sbardun yn galed a chodi'r brêc llaw yn gyflym gan wneud i'r car droelli yn ei unfan fel rhywbeth hanner call a dwl a gadael siâp toesen ar y tarmac!

'O Dai, ti'n ddwl!' chwarddodd Henri, wrth i'r car ddod i stop o'r diwedd.

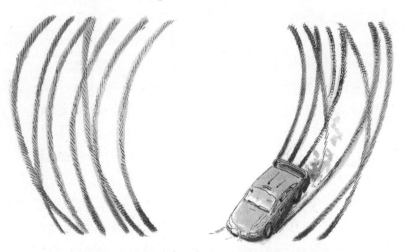

Edrychodd Henri allan o'r ffenest a gweld y dorf yn curo dwylo'n frwd, yn amlwg wedi gwerthfawrogi perfformiad Dai! Gallai weld hefyd bod nifer fawr o geir eisoes wedi gorffen y rali. Ond er nad oedden nhw wedi dod yn agos at ennill y wobr gyntaf, teimlai Henri'n hapus ei fyd ei fod e wedi cwblhau'i rali gyntaf.

Am brofiad arbennig! meddyliodd.

14

Roedd hi'n draddodiad gan y criwiau rali i gyfarfod am frecwast ar ôl i'r cystadlu ddod i ben, felly draw yng Ngwesty Aber-llwch yng nghanol y dref roedd yr ystafell fwyta dan ei sang. Byddai seremoni wobrwyo yn cael ei chynnal yno hefyd yn nes ymlaen. Ac er ei bod hi newydd droi hanner awr wedi pump y bore, roedd y cyffro'n cadw Henri'n gwbl effro. Roedd ei deulu'n bwriadu bod yno i'w gyfarfod hefyd, ac edrychai 'mlaen yn fawr at eu gweld ac adrodd holl hanes y noson wrthyn nhw.

Wrth nesáu at yr adeilad, gallai Henri arogli'r selsig a'r bacwn yn ffrio. Roedd e bron â llwgu erbyn hyn ac edrychai 'mlaen at gael clamp o frecwast mawr yno. Eisteddai pawb o amgylch y byrddau mawr pren yn fwy na pharod am lond plât o fwyd. Roedd rhai ohonyn nhw eisoes yn llarpio'u hail frecwast cyn i'r lleill orffen eu brecwast cyntaf!

Bwytaodd Henri bob tamaid o'i frecwast yn awchus gan adael plât glân.

'Fydd dim angen golchi'r plât 'na, 'te,' meddai llais y tu ôl iddo.

Ei fam a'i dad oedd yno, wedi dod i'w weld a'i gefnogi, a dechreuodd Henri adrodd ei hanes . . .

Hanner awr yn ddiweddarach, cychwynnodd y seremoni wobrwyo. Cyflwynwyd gwobr i'r cystadleuwyr ddaeth yn fuddugol, yn ogystal â'r rhai ddaeth yn ail a thrydydd. Yna aeth y trefnydd yn ei flaen i gyflwyno llu o wobrau eraill.

'Gan ein bod ni'n glwb sy'n hoff o groesawu aelodau newydd ac ifanc i'n plith,' dywedodd un o'r trefnwyr, 'hoffwn gyflwyno gwobr i rywun sydd wedi cymryd rhan yn ei rali gyntaf heno.'

Tybed pwy arall sydd wedi cymryd rhan yn ei rali gyntaf? meddyliodd Henri, gan edrych o'i amgylch yn chwilfrydig.

Cododd cadeirydd y clwb ar ei draed a dechrau siarad. 'Diolch i ti, Henri Jenkins, am dy ymdrech wych,' meddai, gan gyflwyno medal efydd i Henri â llun o gar rali arni. 'Fe glywes i dy fod wedi cael rali a hanner, a hyd yn oed wedi dod wyneb yn wyneb ag asyn ar un o'r heolydd! Chwarae teg i ti!'

Doedd Henri ddim yn gallu credu'i glustiau! Teimlai'n swil iawn wrth weld bod llygaid pawb arno ef, ond roedd e'n hynod o falch o'i wobr. Doedd e ddim wedi disgwyl cael unrhyw beth o gwbl!

'Dai Donci fydd dy enw di o hyn 'mlaen!' gwaeddodd un o'r cystadleuwyr.

Chwarddodd pawb yn braf, ond cochi wnaeth Dai. Roedd yn amlwg nad oedd neb yn mynd i adael iddo anghofio am yr asyn!

Rhuthrodd Henri draw at ei rieni, gan wenu'n llydan. 'Edrych, Dad!' meddai, a'i wên siriol yn goleuo'i wyneb blinedig.

'Da iawn 'machgen i,' dywedodd yntau, a'i falchder yn amlwg. 'Rwyt ti wedi gwneud yn aruthrol o dda. Felly, pa rali sydd nesaf?'

'Mae cymaint yr hoffwn i eu gwneud, Dad. Dw i ddim yn siŵr ble mae dechrau!' atebodd Henri gan astudio'i fedal newydd. Byddai'n rhaid iddo ddod o hyd i le da i arddangos y fedal, ar bwys medalau ei dad yn yr ystafell fyw, meddyliodd.

'Wel, Henri, llongyfarchiadau mawr i ti,' meddai Mrs John ei athrawes, gan dorri ar draws ei feddyliau. 'Dw i'n clywed dy fod wedi gwneud yn wych heno.'

Gwridodd Henri. Doedd e ddim wedi disgwyl gweld ei athrawes yn y rali!

'Dw i yma gyda fy ngŵr. Mae e wedi bod yn ralïo hefyd,' esboniodd Mrs John. 'Cofia sôn am dy anturiaethau ralïo yn y prosiect, Henri! A phaid ag anghofio am yr asyn! Mae'n siŵr fod gen ti stori dda i'w hadrodd!' meddai gan roi winc fawr iddo.

Gwenodd Henri. Oedd, roedd ganddo stori dda i'w hadrodd, meddyliodd. Allai pethau ddim bod yn well.

15

Y bore hwnnw, doedd dim awydd gan Henri i wneud dim byd. Doedd e ddim wedi cyrraedd ei wely tan naw o'r gloch y bore, a hyd yn oed wedyn doedd e ddim wedi cysgu'n dda iawn gan ei fod yn llawn cyffro ar ôl y rali! Felly erbyn pnawn Sul roedd e'n teimlo fel clwtyn llawr ac wedi blino'n lân.

Roedd Henri'n dal i deimlo ychydig yn siomedig nad oedden nhw wedi ennill, na hyd yn oed wedi bod yn y 30 cyntaf i orffen, ond roedd y profiad yn un cwbl wefreiddiol ac yn gychwyn da i'w hobi newydd.

'Dere Henri,' dywedodd ei dad wrtho. 'Dere am sbin fach i weld Carwyn. Mae'n ddiwrnod rhy braf i loetran yn y tŷ.'

Doedd Henri ddim wedi gweld hen bartner ralïo'i dad ers sbel, felly penderfynodd y byddai ychydig o awyr iach yn gwneud lles iddo. A beth bynnag, gallai adrodd holl hanes y rali wrtho yntau!

Pan gyrhaeddon nhw gartref Carwyn, roedd e wrthi'n brysur yn trwsio ac yn glanhau ei gar. Roedd e'n falch iawn o'i geir ralïo ac roedden nhw bob amser fel pìn mewn papur, chwarae teg.

'Glywes i fod llywiwr arbennig o dda yn y rali neithiwr!' dywedodd Carwyn gan wincio ar Henri.

'Pwy?' holodd Henri.

'Ti, Henri! Galwodd Dai Penywaun 'ma gynnau. Roedd e'n dweud bod dyfodol disglair o dy flaen di fel llywiwr.'

Cochodd Henri. Roedd e'n falch ofnadwy bod Dai'n hapus gyda'i waith yn y rali neithiwr.

'A dyna pam dw i wedi prynu hen gar gan Carwyn er mwyn i ti allu potsian ag e,' dywedodd tad Henri gan basio allweddi car iddo.

Edrychodd Henri yn syn arnyn nhw. Doedd e ddim yn ddigon hen i yrru car, felly doedd e ddim yn deall.

'Dw i'n sylweddoli na fedri di yrru'r car eto,' esboniodd ei dad. 'Ond fe alli di ei drin e, a dysgu sut mae'r injan yn gweithio. Un peth yw llywio car, ond peth arall yw gallu gwneud y gwaith mecanyddol. Bydd hi'n werth i ti ddysgu'r pethau 'ma er mwyn safio ffortiwn yn nes 'mlaen!'

'Waw!' ebychodd Henri. Roedd e mor hapus fel na allai dynnu'r wên oddi ar ei wyneb.

'Hen gar yw e, cofia, Henri,' esboniodd Carwyn. 'Mae 'na filltiroedd lawer ar y cloc, ond mae e wedi cael gofal da. 'Sdim tamaid o rwd arno, hyd yn oed, ac mae'n beiriant bach grêt, felly cymer ofal da ohono.'

'Fe wna i!' dywedodd Henri'n bendant.

Ac o'r eiliad honno, roedd e'n gwybod y byddai'n gwneud ei orau glas i ddysgu popeth dan haul am geir ralïo. Efallai y bydda i hyd yn oed yn ralïwr byd-enwog ryw ddiwrnod, meddyliodd, gan ddechrau breuddwydio am fedalau di-ri. Ond roedd un peth yn siŵr – doedd e ddim yn gallu aros hyd nes y byddai'n ennill ei rali gyntaf!

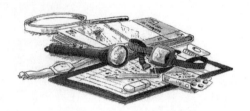